★ Stella and the Princess of the Chocolate Star ★

ステラとチョコレートの星《ほし》のプリンセス

作★深谷《ふかや》しずく　絵★星谷《ほしや》ゆき

1 いざ　うちゅうの　ぼうけんへ！

わたしは　ステラ。
七《なな》さいに　なったばかりの、
小学一年生《しょうがくいちねんせい》だよ。
きょうは　学校《がっこう》が　おやすみの日《ひ》。
とつぜんだけど　わたし、
うちゅうへ　ぼうけんに　でかけるの！
ぼうけんの　もくてきはね、

うちゅうの星《ほし》に　すむ　プリンセスと
おともだちに　なること！
どんなプリンセスが　いるのかな？
星《ほし》のかずだけ　プリンセスと
おともだちに　なれたら、
うちゅう一《いち》　ともだちの　おおい、
小学一年生《しょうがくいちねんせい》に　なれちゃうかも!?

はじめての　ひとりたび
だけど、じゅんびは　かんぺき。
キラキラ　かがやく　ブラウスに、
よぞら　みたいな　キュロットスカート。
パパが　くれた
かわの　ポシェットには
いろんなものを　つめこんだし、
ママが　とくべつに　かみのけを
星《ほし》のかたちに　してくれた！

本当《ほんとう》はね、 かえるじかん
なんて きにしないで
めいいっぱい うちゅうを
たび したいんだけど……。
「もんげんは 五《ご》じ。
もし五《ご》じを すぎたら、
ぼうけんは そこでおしまい。
いいわね？」 って ママが ぴしゃり。
もんげんつきの ぼうけんなんて

きいたことある!?

「いってきます!」

ママとパパが、 みえなくなるまで手《て》を ふったら、

『うちゅうバス』の バスていへ。

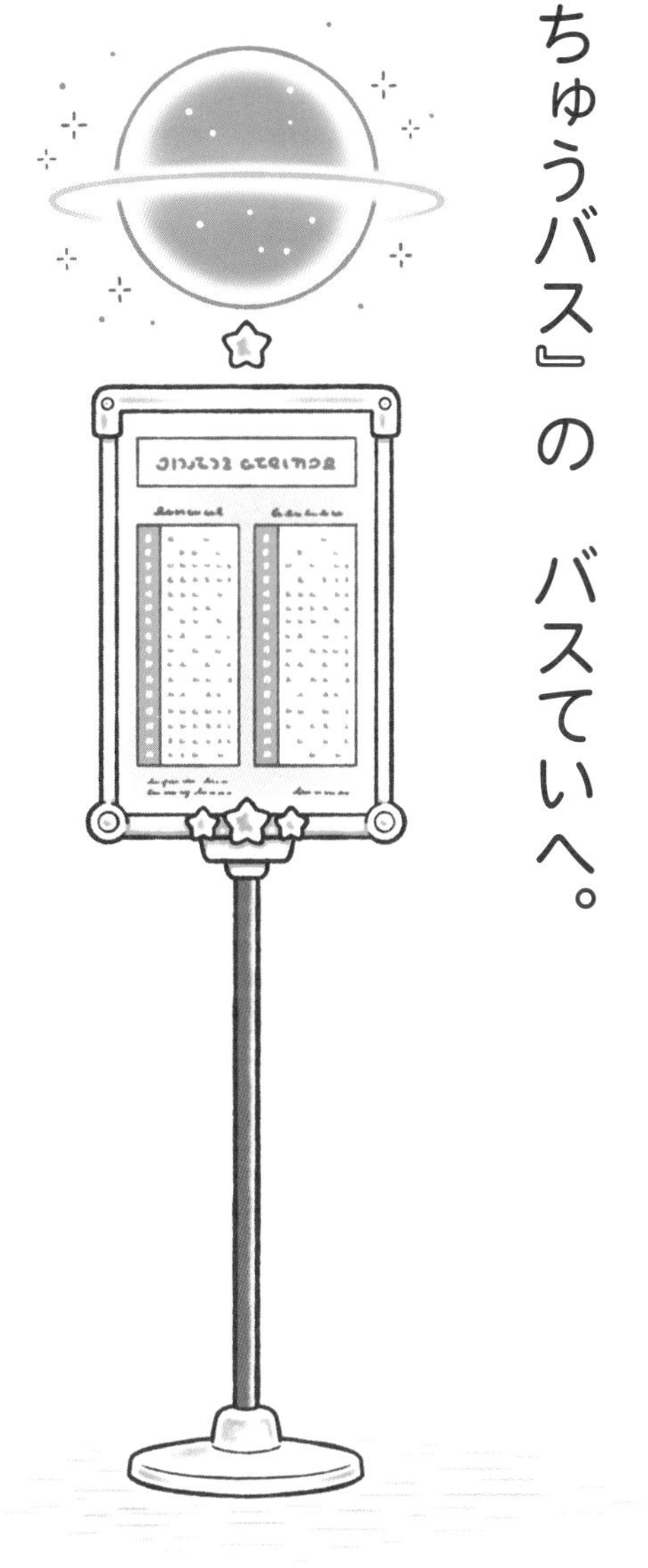

しばらく　まっていると、
はじめての
うちゅうバスが、　キラリと
空《そら》から　あらわれた！

パパから　もらった
〝うちゅうコイン〟を　一《いち》まい、
うんてんしゅさんに　わたして　バスに　のる。
〝うちゅうコイン〟は
星《ほし》の　かけらで　できた、
うちゅうの　どこでも　つかえる
おかねなんだって。
バスは　ぜんぜん　ゆれないし、
うちゅうのけしきも　きれいで　とっても　たのしい。

こんかい　わたしが　おりるのは、
二《ふた》つさきの『ショコラール』という星《ほし》。
この星《ほし》に　きめたのはね、
〝あまくて　おいしい星《ほし》〟
って　うわさを　きいたから。
いったい、なにが
あまくて　おいしいんだろう？
ママとパパには、
「はじめての　たびだから、

「一《ひと》つさきの　星《ほし》にしたら？」
って　いわれたけど、
それじゃ　ぼうけんとして
つまらない。

「えっと、
つぎに　とまるのは
『パム』って星《ほし》ね」

ところが　バスのアナウンスは――。
『つぎは　ミュスコです。
おりるかたは　ブザーを　ならしてください』
「えっ！」
つぎの星《ほし》は　『パム』じゃないの!?
あわてて　バスの
でんこうボードを　みたら……。
のるはずだった　バスは　『M《エム》43』。

いま、わたしが　のっているのは　『M《エム》34』……。
34と43……　にてるけど　ぜんぜんちがう！
どうしよう？
おりたほうが　いい？
のっていたほうが　いい？
ママおてせいの
オーロラジュースを　のんで、
なんとか　きもちを　おちつかせる。
そしたら、おもいだした。

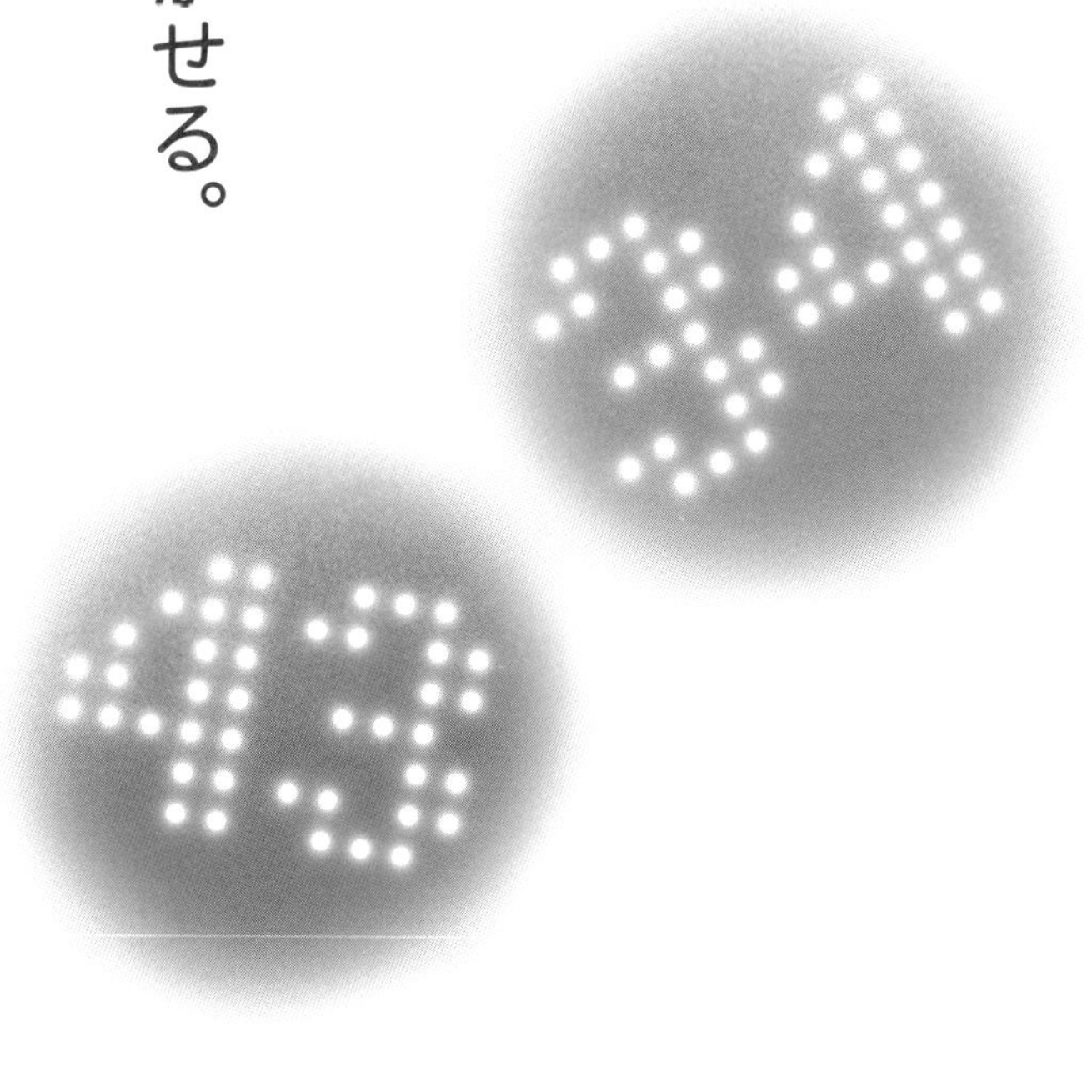

『わからないことが　あったら、
ゆうきを　だして
きけば　いいのよ』
って、ママが　いつも
わたしに　いっていたこと。
「――あの！」
ドキドキ　しながら、
まえにすわる　女《おんな》の人《ひと》に
はなしかける。

「なにかしら？」
「えっと……M《エム》43と
のりまちがえてしまって……。
このバスは　ショコラールに
とまりますか？」
女《おんな》の人《ひと》は　にっこり
わらうと　バッグから、
〝うちゅうバスろせんず〟を
だした。

「これが　いまのっているM《エム》34の　ろせんよ。
ミュスコの　つぎのつぎ、
三《みっ》つさきで　ショコラールに　とまるわ」
「ああ、よかった！」
「ただ　おしろの
ちかくにとまる　M《エム》43と　ちがって
このバスは　おしろから
はなれた　ばしょに　とまるの。
おしろに　いきたいのなら、

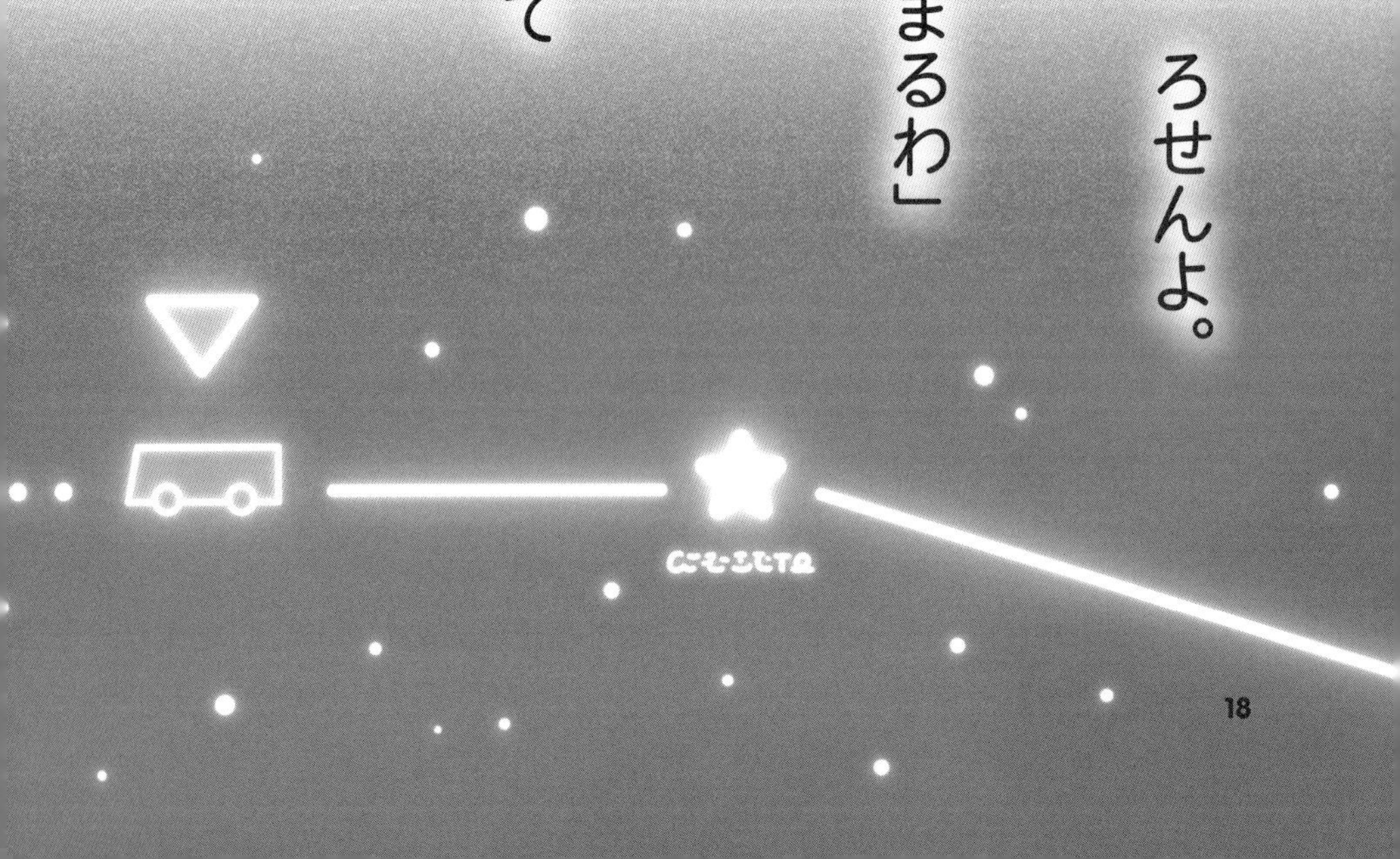

おりてすぐ
ひがしへ　むかうといいわ」
「ありがとうございます！」
ゆうきを　だして
きいてよかった。
しばらくして
『つぎは　ショコラールです』
という　アナウンスが　ながれると、
わたしは　すぐにブザーを　おした。

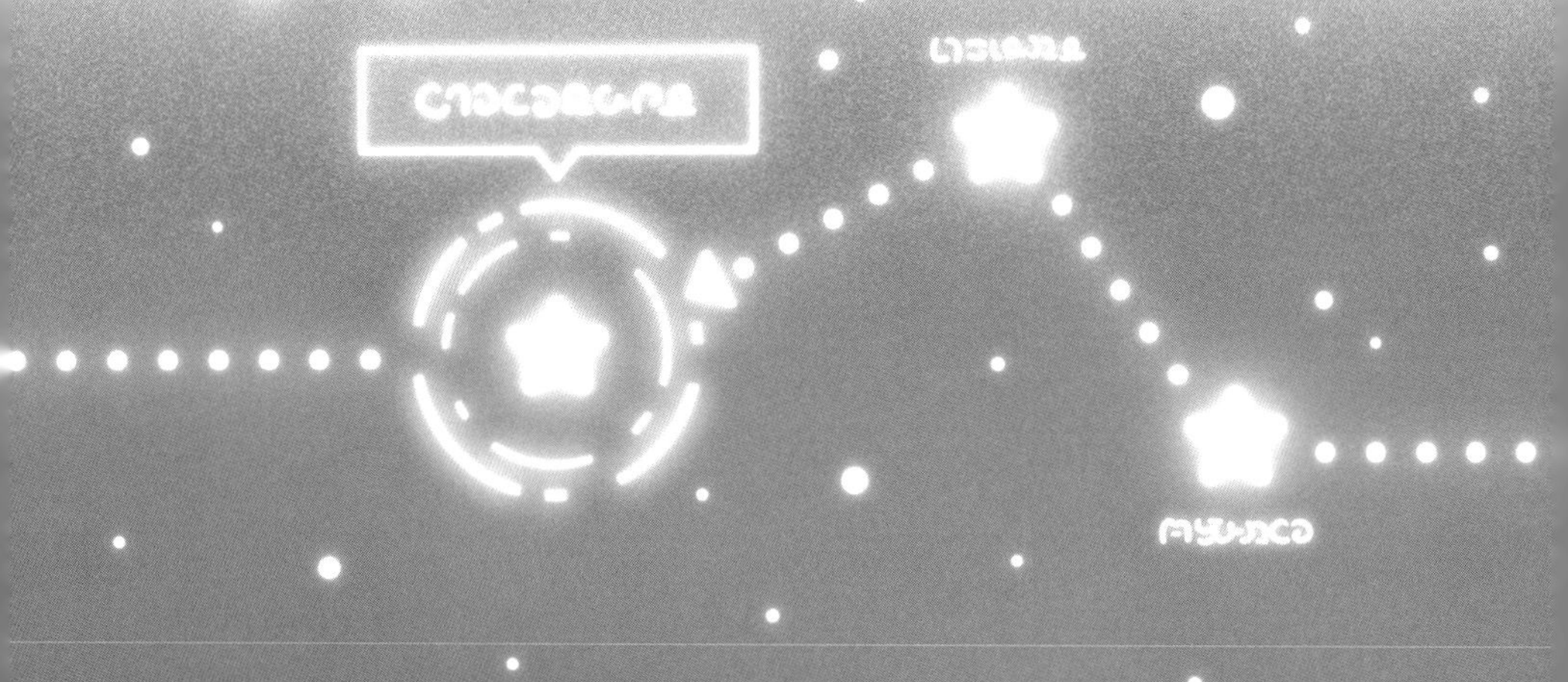

★2 あまくて　おいしい星《ほし》　ショコラール

ショコラールは　ちゃいろの　星《ほし》だった。
そうみえるのは、ちゃいろの　石《いし》や　いわが
ごろごろ　ころがっているから。
それにしても、
なんだか　とっても　いいにおいが　する。
「わ、すごいかぜ！」
とつぜん

すなあらしが　おきて、
目《め》は　ごろごろ、
はなは　ざらざら、
口《くち》のなかも　じゃりじゃり……。
って、あれ？　おいしい……？
「……これ、チョコレート!?」
そんなわけないって、ちかくの　石《いし》や
おおきな　いわ、すこしはなれた　ところにある
くさも　たべてみたけれど……。

しんじられない！　ぜーんぶ　チョコレートだ！
チョコレートを　たべる手《て》が
ちょこっと　とまらない。
ああ、いけない！
まずは　プリンセスでしょ。
たしか　ひがしに　むかえばいいんだよね。
「……あれ、ひがしって　どっち？」
ちずを　みながら　すすんでいるのに
ちっとも　おしろは　みえない。

どうしよう、まよっちゃった……?
そのとき
また　すなあらしが　おきて、
まいあがる　すなの　おくに、
うごく　なにかが　みえた。
あれは……馬車《ばしゃ》?
もしかして　プリンセスが　のっている?
いそいで　あとを　おったけど、
馬車《ばしゃ》は　とおくへ　いってしまった。

でも　おいかけた　おかげで
じょうもんまで　たどりつくことが　できた。
いったい　プリンセスは
どんな　おしろに　すんでいるんだろう。
ドキドキしながら　じょうもんを　くぐると……。
「すごい……これって　ぜんぶ、
チョコレートの　おみせ⁉」
まちは　チョコレートの
おかしの　おみせだらけ。

そして　たちならぶ
おみせの　さきには、
それこそ
チョコレートの　おかしで
できているみたいな、
ごうかで　おいしそうな　おしろが　あった。
「星《ほし》くずチョコレートケーキ、
たべていかない？」
「チョコスターパフェも　おいしいよ」

「うちの　マグマチョコスープは、うちゅう一《いち》さ」
あま～いこえを　かけてくるのは、
〝ショコラティエ〟。
ショコラティエとは、
チョコレートから　いろんな
おかしを　つくる
おかししょくにん　のこと。
とても　たいへんそうだけど、
みんな　たのしそうに　つくっている。

ああ、どれか　たべたいな。
おさいふにある　コインは　あと四《よん》まい。
ケーキは　六《ろく》コイン、パフェは　八《はち》コイン。
あ、スープは　四《よん》コインだから　たべられる！
ってだめだめ。
かえりの　うちゅうバスに
のれなくなっちゃう。
なやんだけど　けっきょく
一《いち》コインで　かえる

いんせきチョコプリンと、
ふうせんエクレアを　たべた。
口《くち》のなかで
バチバチ　はじけるプリンも、
ふわふわ　ちゅうを　とぶ　エクレアも、
ほっぺが　おちちゃうくらい　おいしかった。

リーン　ゴーン
リーン　ゴーン

とつぜん　まちじゅうに
おしろの　かねが　なりひびいた。
「うわ、かねがなった！」
「げげ、きょうは　はやいな」
なぜか　ショコラティエたちは、
いやそうな　かおを　している。
「なにかあるの？」
ちかくにいた　ショコラティエに
きいてみると、

「かねが　なったらね、
おしろの　プリンセスに
チョコレートの　おかしを
もっていかないと　いけないの」
「え！　プリンセスに!?」
もしかして　ついていけば
プリンセスに　あえる？
そこでわたしは　ショコラティエたちに
ついていく　ことにした。

3 わがままプリンセス・ショコラーラ

たどりついたのは、おしろの
なかの　ひろいおへや。
かべには　いろんな
チョコレートの　えが
かざられていて、
なめらかな　じゅうたんは
チョコレートムースみたい。

ゴージャスな　いすには　わたしと
おない年《どし》　くらいの　女《おんな》の子《こ》が　すわっていて、
そのとなりに　たつ　ココルと　なのる

おじさんが　あたまを　さげた。
「みなさま、ほんじつも
プリンセス・ショコラーラの
おかしを
ごよういくださり、
ありがとうございます」

この子《こ》が　プリンセス・ショコラーラ！

ウェーブがかった　かみのけは
まるで　チョコわたあめ。
すました　ひとみは
チョコレートキャンディ。
フリルが　なんそうにも
なった　ドレスは、
チョコレートの　デコレーションケーキ　みたい。
すてき！　でも　ショコラーラは
なんだか　ふきげんそう。

はじめに　よばれたのは、
星《ほし》くずチョコレートケーキの　ショコラティエ。
ショコラーラは、ケーキを　一口《ひとくち》たべて――。
「はぁ……おいしくないですわ」
え!?　あんなに
おいしそうなのに？
つぎに　よばれたのは、
ふうせんエクレアの
ショコラティエ。

「へんなあじね」

うそ！　へんな
あじなんて　しなかった！

そのあとも、

「においが　きらいよ」

「まずくて　のみこめないわ」

「あぁもう　たべたくない！」

ショコラーラは　いいたいほうだい。

「きょうも　これか……」

「つきあいきれないよ」
ショコラティエたちの
ためいきが　きこえる。
きょうも　ってことは
いつも　そうなんだ。
そんなのって、ひどすぎない!?
わたしは　ズカズカと、
ショコラーラの　まえまで　あるくと――。
「ちょっと！　プリンセスだからって、

そんな　いいかたは　ないんじゃない？
ショコラティエさんたちが
いっしょうけんめい　つくった　おかしなのに！」

「……だれ？　あなた」

「わたしは　ステラ。
うちゅうの　たびを　しているの」
あなたと　ともだちに　なりたくて……
なんて　いまは　おもえない。
「そんなに　もんくを　いうなら、
じぶんで　つくれば　いいじゃない！」
「――わわ、きみ、
プリンセスに
なんてことを……」

ショコラティエたちが
あおざめた　かおで
わたしを　みている。

「どうして　わたくしが？　……それならステラ、
あなたが　つくってみなさいよ」
「……え？　わたし？」
ショコラーラが　ふんっと、
はなで　わらった。
「わたくしに　そんな口《くち》を
きいておいて、ただで　かえれると
おもっていて？」
……どうしよ。なんだか　めんどうなことに

まきこまれちゃったかも？
「ほら、さっさと
つくってちょうだい」
ショコラーラに　むりやり
つれてこられたのは、
おしろの　キッチン。
「そんなこといわれても……」
おかしづくりなんて、
ほとんど　やったことがない。

「ステラさま、どうか　ひめさまが　よろこぶ
おかしを　つくってくださいませ」
しつじの　ココルさんにも
あたまを　さげられちゃった……。
しかたなく　レシピを　みながら
やっては　みたけれど……。
「なんですの　ステラ、このかたいケーキ！
こっちは　ふうせんが　しわしわよ！」
星《ほし》くずチョコレートケーキも、

ふうせんエクレアも、
ぜんぜん　うまく　つくれない。

「もう！　だったら　ショコラーラ、
あなたが　つくってみてよ！」

「えっ……い、いやよ　わたくしは――」

「ふ～ん、もしかして　つくれないの？」

「――っ、つくれますわ！

わたくしが　おてほんを　みせてあげる！」

と、いっていた　ショコラーラだったけど……。

「なんなの、この　ねばねばパフェ！」
「キャー！　マグマが
ばくはつしますわ！」
手《て》も　かおも　ドレスも
チョコレートまみれ。
「ねぇ　ココルさん。ショコラーラって、
いままで　おかしを　つくったこと……」
「……まったくの一《いち》ども　ございません」
やっぱり……。

「おかしづくりなんて
かんたんだと　おもっていたのに……」
きがつけば　ショコラーラの　目《め》に
なみだが　たまっていた。
「ひめさま？」
ココルさんが　こえを
かけたけれど、
ショコラーラは　ふいっと
キッチンから　でていってしまった。

4 ショコラーラの　ひみつ

ココルさんに　きいて
ショコラーラの　へやを　たずねると、
ショコラーラは　ベッドのすみで　おちこんでいた。
「おかしづくりって　むずかしいのね。
ぜんぜん　しらなかったですわ……」
「ほんとうだね……
ショコラティエさんって　すごいね」

わたしは　ショコラーラの　となりに　すわった。
「ねぇ、どうして　ショコラティエさんの
おかしを　いやがっていたの？」
すると　ショコラーラは　小《ちい》さな　こえで、
「……チョコレートが　きらいなの」
「え！　チョコレートの
星《ほし》のプリンセス　なのに!?」
ショコラーラが　かおを　あからめる。
「……はじめて　チョコレートを　たべたのは、

三《さん》さいの　たんじょうび　だったわ。
目《め》のまえの　りっぱな　チョコレートケーキを
ワクワクしながら　一口《ひとくち》たべたの。
でも……　ぜんぜん　おいしいと　おもえなかった。
それからずっと　チョコレートが　きらいなの……」

「きらいなのに　チョコレートの　おかしを
たべるじかんが　あるの？」
「チョコレートの
星《ほし》の　プリンセスとして、
チョコを　すきになりたい
きもちは　あるの。
それで　ココルが
あのじかんを　つくったのよ。
でも　ぜんぜん　すきになれなくて……」

たしかに　きらいなものを
むりに　たべていたら
ますます　きらいに　なっちゃいそう。
「だけど　きらい　とはいえ、
ひどいことばかり
いってしまったわ……」
なみだを　ながす　ショコラーラ。
なにか　わたしに
できることは　ないかな……。

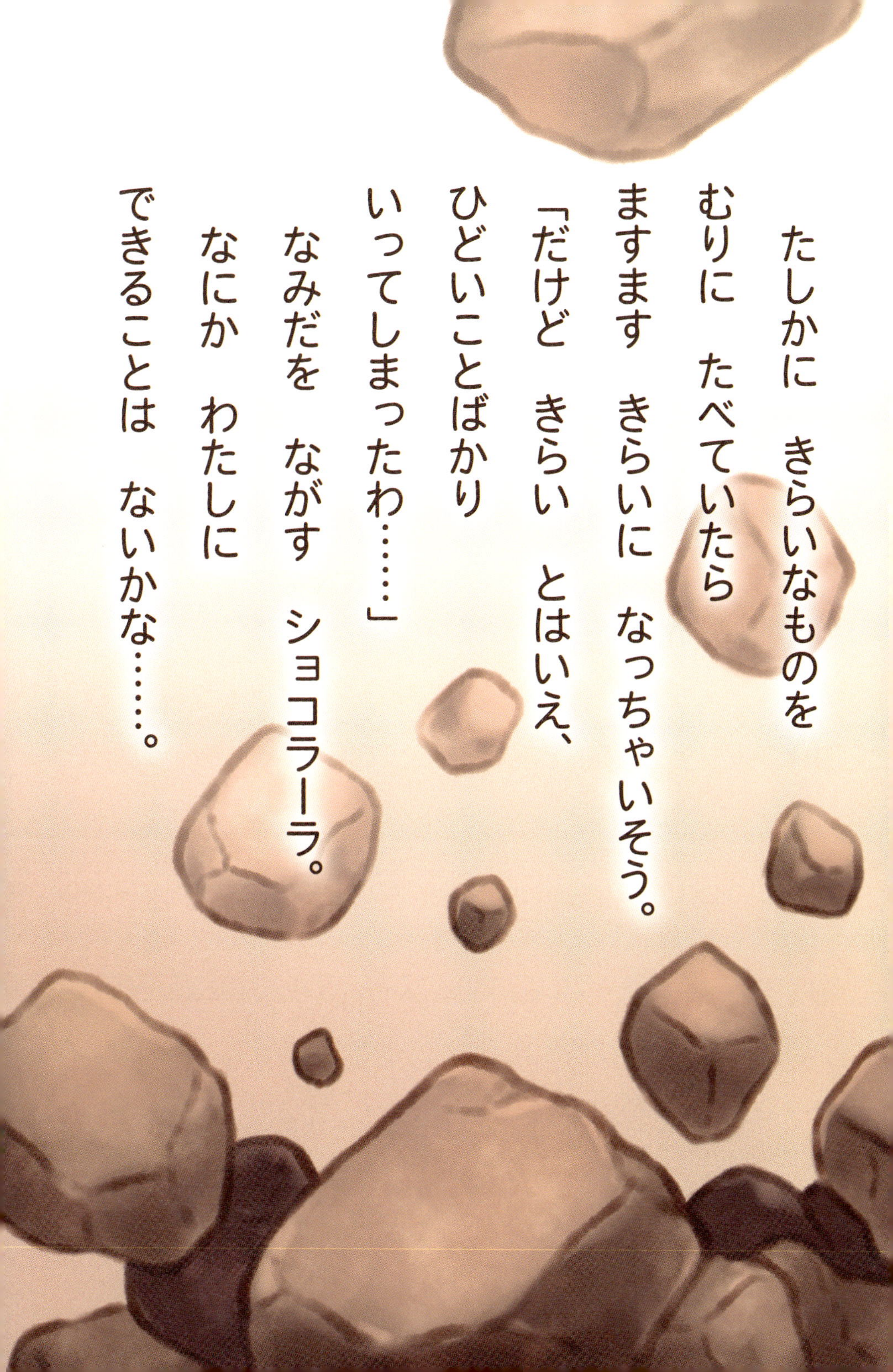

……そうだ！
「ねぇ　ショコラーラ。
ショコラティエさんへの　おわびに、
わたしと　チョコクッキーを
つくらない？」
「え？　むりよ。
わたしたち、しっぱいばかり
だったじゃない」
「あのね　クッキーなら

ママに　おそわったことが　あるの。
それに　二人《ふたり》いっしょなら
しっぱいしても
こわさ　はんぶん、でしょ？」
　ショコラーラは
ふあんそうに　していたけれど、
なみだを　ふくと、
そっと　ほほえんだ。
「ありがとう、ステラ」

5 チョコガラスクッキーの　ゆうき

こうして　むかったのは、
チョコガラスクッキーの　おみせ。
「え？　ショコラティエに
クッキーづくりを
みせてもらうんですの？」
「うん。わからないことは
きくのが　一番《いちばん》だと　おもうの」

それはバスの　けいけんから、
わたしが　さっき　まなんだこと。
「でも　わたくしなんかに
おしえてくれるかしら……」
「ゆうきを　だして　きいてみようよ」
わたしたちが　おみせに　はいると、
「プ、プリンセス⁉」
ショコラティエは
ドキドキ　ふあんな　かお。

ショコラーラが　わたしの手《て》を　ぎゅっと　にぎる。
わたしが　その手《て》を　つよく　にぎりかえすと、
ついに　ショコラーラは　ゆうきを　だして――。
「あの、もしよければ……
クッキーを　つくっている　ところを、
みせていただけないかしら……？」
すると、ショコラティエは
すぐ　えがおに　なった。
「もちろん、よろこんで！」

「まぁ……
かんしゃいたしますわ」
よかった。
ショコラーラも
ほっと　したみたい。
チョコガラスクッキーは、
すきとおった　チョコレートの
ガラスを　まぜこんだ、
まるで　ほうせきみたいな　クッキー。

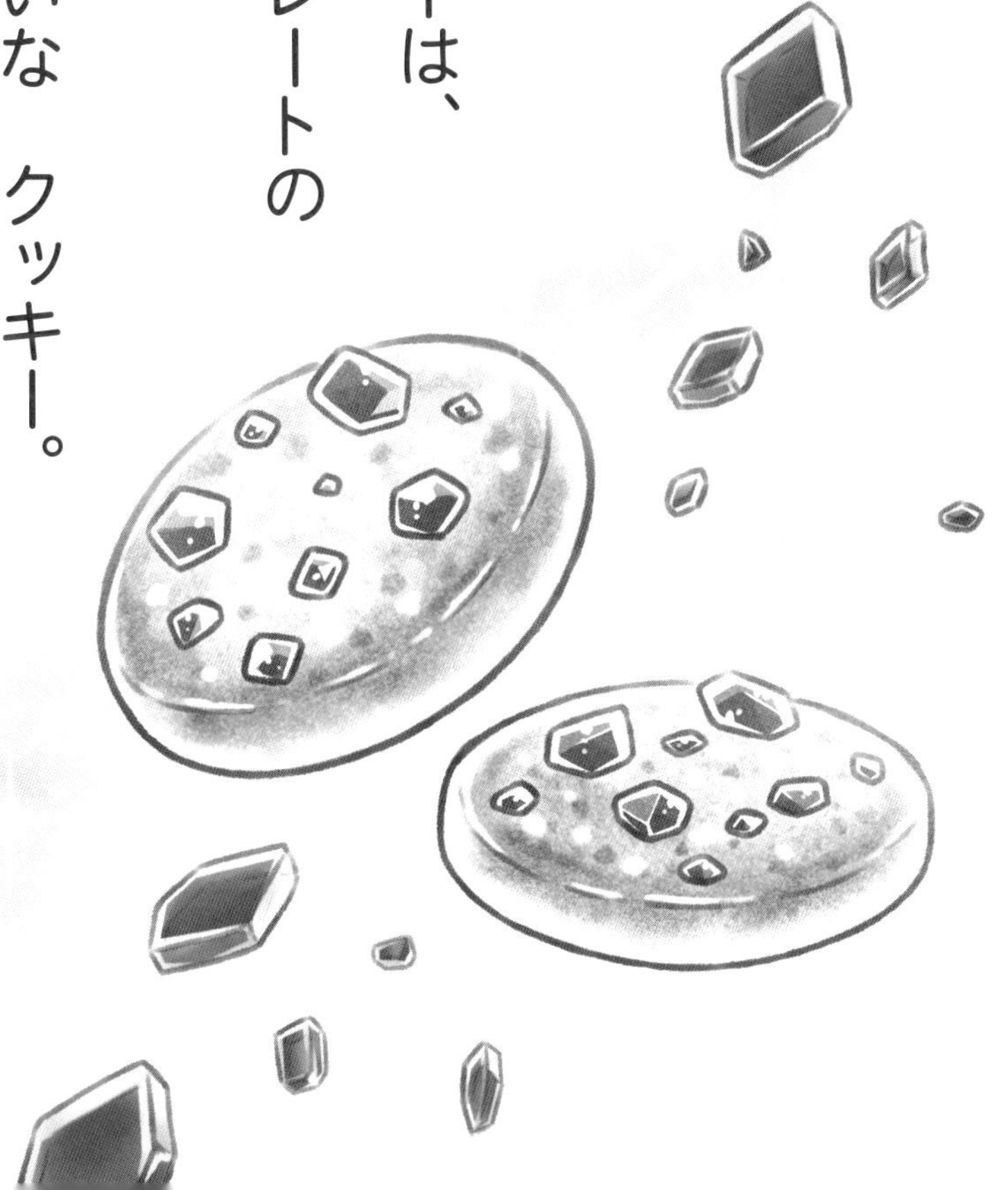

まず、かたい　チョコガラスを
トンカチで　わる。
「とても　ちからのいる
さぎょう　ですわね……」
きじと　チョコガラスを
まぜるときは、チョコガラスが
くもらないように。
「チョコガラスを　かがやかせるのは、
むずかしいこと　なのね」

やくときは　チョコガラスが
とけないよう、
チョコガラス用《よう》の　たまごを
かならず　ぬること。
「やさしく　たまごを　ぬるのね。
クッキーへの　あいじょうを　かんじますわ」
ほかにも　いろんなことを　おしえてもらい、
ショコラティエに　おれいを　いうと、
わたしたちは　おしろのキッチンに　もどった。

「じゃあ、つくりますわよ！」
ざいりょうを　はかって、
チョコガラスを　わって、
そーっと　まぜて、
まるめて、ひやして、やく。
「まぜすぎてしまったわ」
「たまご、ぬりわすれちゃった！」
二人《ふたり》で　やっても、しっぱいばかり。
でも　あきらめないで、

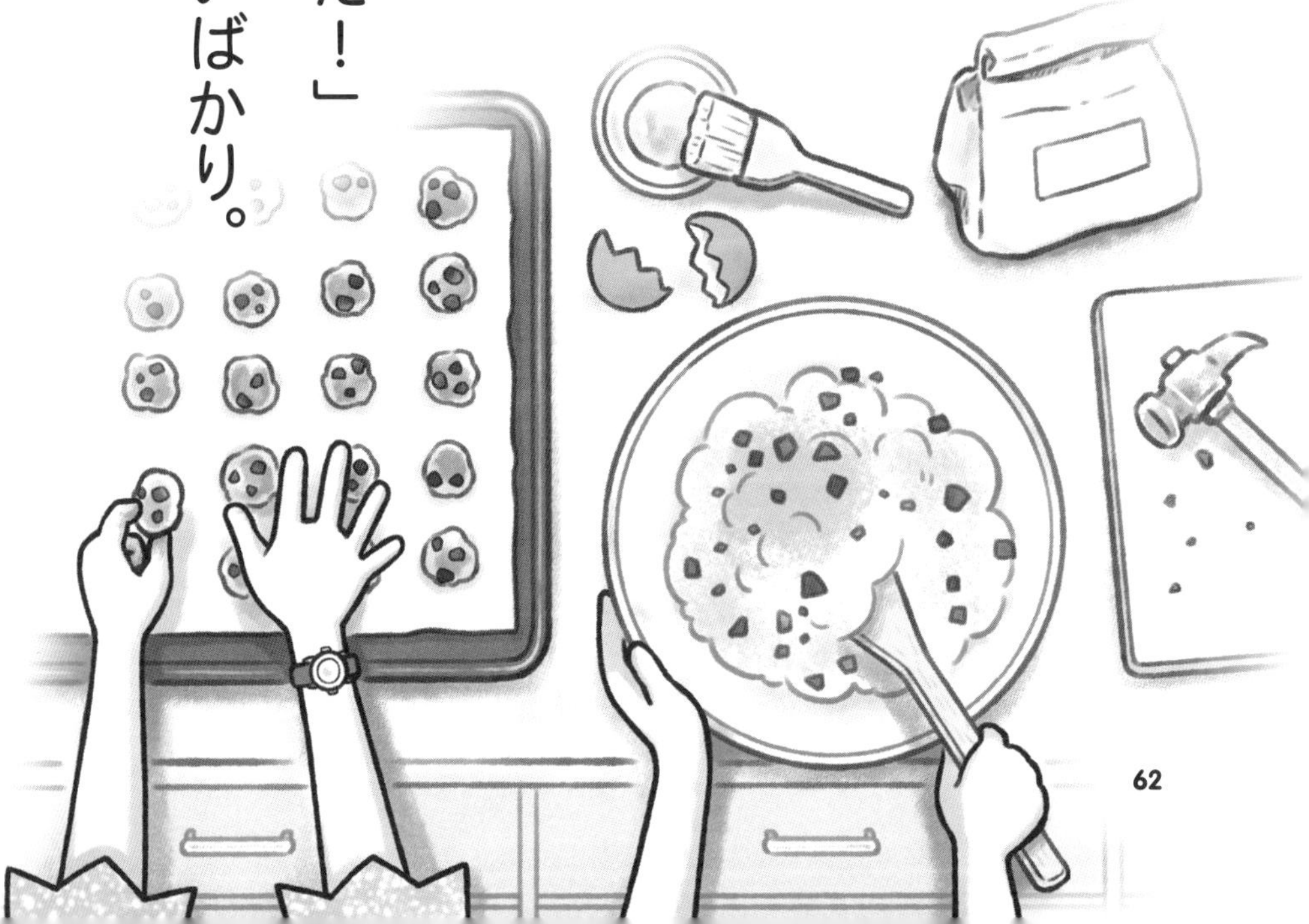

クッキーを　つくりつづけた。
そして――。

「できた～！」

二人《ふたり》の　チョコガラスクッキー、
なんとか　かんせい！
ちょっぴり　こげちゃって
みためは　わるいけど、じぶんたちで
つくった　おかしって、すごく　いとおしい。

ショコラーラは　ココルさんに　おねがいして、
まちじゅうの　ショコラティエを
おしろに　よぶと、
あたまを　さげた。
「いままで　みなさんの　すばらしい
おかしに　ひどいこと　ばかりいって
ごめんなさい」
あやまる　ショコラーラに、
ショコラティエたちが　おどろく。

「じぶんで　おかしを　つくってみて、
よくわかりました。
おかしづくりの　たいへんさと、
みなさんの　おかしへの
ふかい　あいじょうが」
そして、はずかしそうに
テーブルを　ゆびさした。
「これは　わたくしと　ステラで
つくった、チョコガラスクッキーです。

いままでの　おわびと　おれいに、
たべていただけたら　うれしいですわ」
はじめは　とまどっていた
ショコラティエたちも、一人《ひとり》　また一人《ひとり》と
クッキーを　口《くち》に　いれていく。
「……どうかしら？」
ショコラーラが　たずねると、
「……こげてて　にがいです」
「チョコガラスが　くもっています」

と、みんな　しょうじきに　いいながら、
さいごは　えがおになった。
「それでも　お二人《ふたり》の　クッキー、
あいじょうたっぷりで　おいしいです」
ショコラーラは　くびを　かしげた。
「……ほんとうに　おいしいんですの？」
わたしは　ショコラーラの
手《て》を　ひっぱると、
「ね、わたしたちも　たべてみようよ」

「で、でも　わたくし　チョコレートは……」

ショコラーラは、とまどいながらも

クッキーを　手《て》にとり　ほんの一口《ひとくち》。パクッ。

「……あら？」

つぎの一口《ひとくち》も　パク、

またパク　パク　パク――。

「なぜかしら……おいしくかんじますわ！」

おどろいている　ショコラーラに、

わたしは　いった。

「きっと　じぶんで　いっしょうけんめい
つくった　クッキーだからだよ」
ショコラーラは　クッキーを　じっと
みつめたあと、わたしに　ほほえんだ。
「――いいえ、ステラ。
あなたと　いっしょに
つくったからよ」
「……ふふ、そっか。そうだね！」
それから　ショコラーラは、ココルさんと

ショコラティエたちに　いった。
「これからは　チョコレートや
おかしづくりのこと、たくさん
まなびたいと　おもいますわ」
いまの　ショコラーラなら
チョコレートを　すきになれる日《ひ》も
ちかい　きがする。
さいごは　みんなが　えがおに　なって
ほんとうに　よかった！

⑥ チョコレートの　ゆうじょう

「ああ　たいへん！　わたし、五《ご》じまでに
いえに　かえらなきゃ　いけないいんだった！」
うでどけいを　みると
すでに四《よ》じを　すぎていて、
おにみたいな　ママの
かおが　うかぶ……。
「まぁ……。それなら

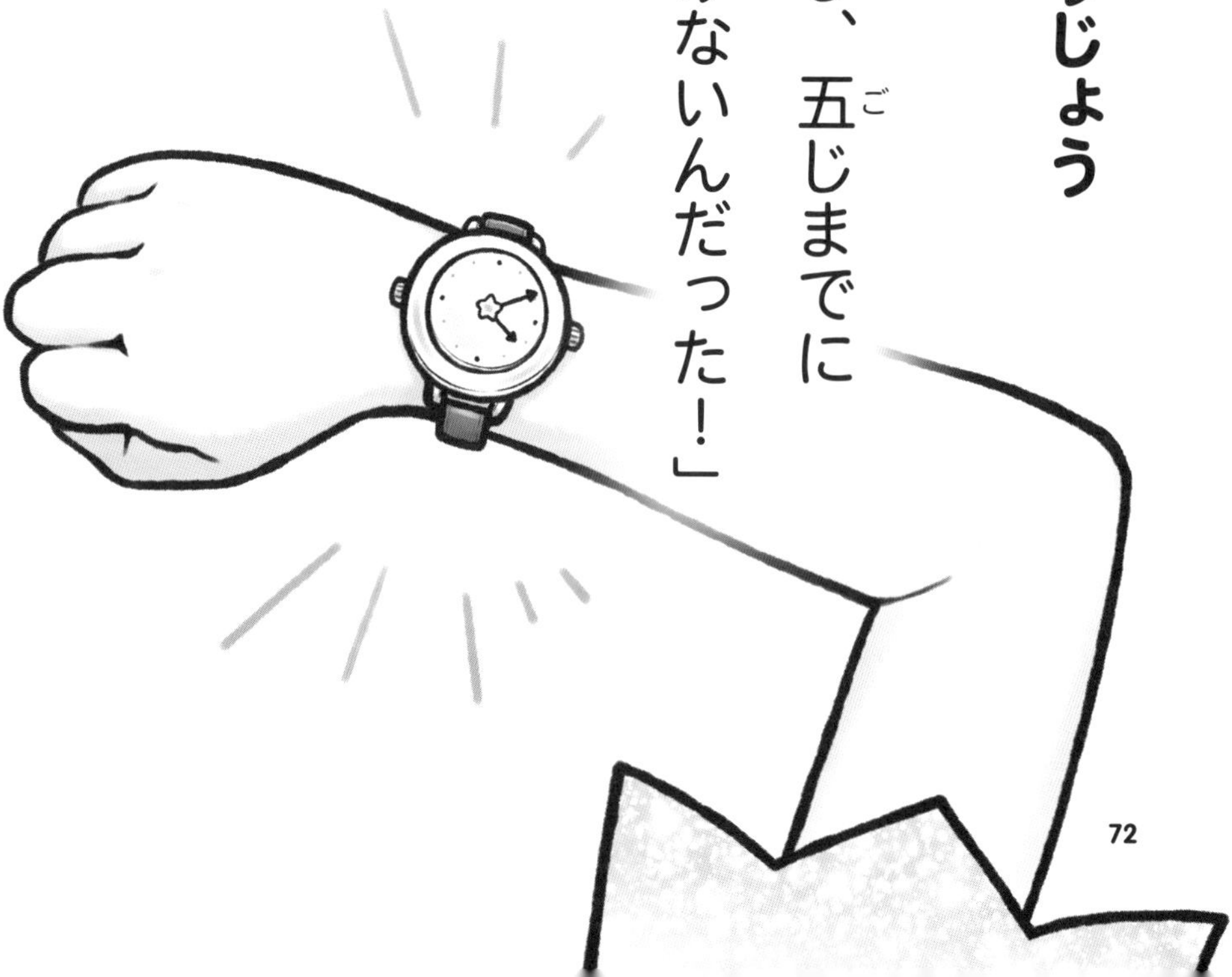

いそがないと　だめですわね。
ココル、馬車《ばしゃ》を　よういして　ちょうだい」
チョコロールケーキの　かたちをした
馬車《ばしゃ》にのり、ショコラーラと
M《エム》43の　バスていに　むかう。
「そういえば　この星《ほし》には
なにをしに　いらしたの？」
「えっとそれは……
プリンセスと、ともだちに……なりたくて……」

そういったら、ショコラーラは
やさしく　ほほえんで、
「もうわたくしたち、とっくに
おともだちですわ」
ショコラーラは
ネックレスを　はずして、
わたしに　つけてくれた。
「ゆうじょうの　しるしに　さしあげるわ。
ショコラール王国《おうこく》に　ふるくから　つたわる

チョコレートダイヤモンドの　ネックレスよ」
「うれしい……　ありがとう、ショコラーラ！
ぼうけんの　おまもりに　するね」
はじめてできた　プリンセスの　おともだちは、
ショコラール王国《おうこく》の　ショコラーラ。
　わがままな　ところも
あるけど、いっしょうけんめいで
すなおに　あやまることも　できる、
すてきな　チョコレートプリンセス。

M《エム》43の　バスていは、
じょうもんの　まえに　あった。
そっか、いきに　のりまちがえなければ、
まよわず　こられたんだ。

こうして　かえりは
とおまわり　することなく、M《エム》43に
のって　いえに　たどりついた。

「——ただいまぁ！」
五《ご》じ、ギリギリセーフ！
ママとパパが、
えがおで　わたしを　だきしめる。

「おかえり　ステラ。たのしかったかい？」
「ステラの　だいすきな
チョコババロアを　つくったから、
手《て》を　あらったら　たべましょ。
ぼうけんの　はなし、きかせてね」
チョコババロアかあ。
うれしいけど、でも――
しばらく　チョコレートは　いいかなあ……。

ステラとチョコレートの星《ほし》のプリンセス

2024年11月30日　第1刷発行

［　作　］　深谷しずく
［　絵　］　星谷ゆき
［発行者］　小松崎敬子
［発行所］　株式会社岩崎書店
〒112-0014　東京都文京区関口2-3-3 7F
［電　話］　03-6626-5080（営業）　03-6626-5082（編集）
［印刷所］　株式会社光陽メディア
［製本所］　株式会社若林製本工場
［装　丁］　秋吉政美（BALCOLONY.）
［協　力］　&REAM, Inc.

［岩崎書店ホームページ］　https://www.iwasakishoten.co.jp/
［ご意見ご感想をお寄せください］　info@iwasakishoten.co.jp
乱丁本、落丁本は小社負担にておとりかえいたします。

ISBN　978-4-265-07469-3　NDC913　22×15cm

★ Stella and the Princess of the Chocolate Star ★